# 我超喜爱的趣味数学故事书

时刻表

去梦幻庄园度假

纸上魔方 著

北方妇女儿童出版社

长春

图书在版编目（CIP）数据

去梦幻庄园度假：时刻表／纸上魔方著 . — 长春：
北方妇女儿童出版社，2014.4 （2024.3 重印）
（我超喜爱的趣味数学故事书）
ISBN 978-7-5385-8180-5

Ⅰ . ①去… Ⅱ . ①纸… Ⅲ . ①数学—儿童读物 Ⅳ .
① O1-49

中国版本图书馆 CIP 数据核字 (2014) 第 049769 号

## 编委会

任叶立 徐硕文 徐蕊蕊 余　庆 李佳佳 陈　成 尉迟明姗

# 去梦幻庄园度假 · 时刻表

QU MENGHUAN ZHUANGYUAN DUJIA · SHIKEBIAO

出 版 人　师晓晖
策 划 人　师晓晖
责任编辑　曲长军
插画绘制　纸上魔方
开　　本　889mm×1194mm　1/16
印　　张　2.5
字　　数　20 千字
版　　次　2014 年 4 月第 1 版
印　　次　2024 年 3 月第 10 次印刷
印　　刷　吉林省信诚印刷有限公司
出　　版　北方妇女儿童出版社
发　　行　北方妇女儿童出版社
地　　址　长春市福祉大路5788号
电　　话　总编办：0431-81629600　　发行科：0431-81629633

定　　价　19.80 元

# 数学就是这样有趣

　　数学有什么用？为什么学数学？对于许多小朋友来说，数学不仅是一门比较吃力的功课，枯燥、乏味的运算更让孩子心生畏惧。而数学原本就是一门来源于生活的科学。孩子们日常生活中的小细节、小故事，都蕴藏着丰富的数学知识，只要你稍加留心，就会发现无处不在的数学规律。

　　《我超喜爱的趣味数学故事书》正是抓住了这一规律，通过讲故事、做游戏，激发起孩子学习数学的兴趣。把抽象枯燥的数学知识，转化成看得见、用得到的生活常识，让孩子们通过故事与漫画，更加直观而轻松地认识数学、爱上数学。全书更重在培养孩子解决问题的思考方法，提高孩子逻辑思维能力和综合素质。

与此同时，编者还巧妙地将数学知识穿插在故事当中，这些入门知识的反复出现，更有利于孩子们加深记忆，掌握学习数学的技巧。

更值得一提的是，这套《我超喜爱的趣味数学故事书》还真正为父母们提供了一个和孩子共同学习的机会。在每一本分册的末尾，都有编者精心设计的互动园地。在这一板块中，父母可以更直观地看到书中所讲述的知识点，了解孩子的学习进度，结合实际应用，帮助孩子们进一步理解数学的意义，掌握数学知识。

相信这套《我超喜爱的趣味数学故事书》，一定会让孩子们认识到数学之美，轻轻松松爱上数学，学好数学！

由于编者水平有限，这套书中一定还有不足之处，敬请广大读者不吝赐教，为我们提出宝贵意见。

　　"快点，快点，我们就快要赶不上去梦幻庄园的火车了。"维奇一边跑，一边拉着妹妹凯莉往车站跑。

　　"维奇、凯莉，我们得快点，不然真的会赶不上火车了。"爸爸科尔先生跟在后面。

到站：10：03
出发：10：12

"火车是 10：03 到站，10：15 从这里出发，开往梦幻庄园，可是凯莉记错了时间！"妈妈跑得上气不接下气。

不过还好，10：12 的时候，他们终于登上了开往梦幻庄园的火车。

　　"太险了，都怪凯莉，如果我们错过了火车，梦幻庄园的入场券就要被浪费了啊。要知道，很多人都想来这里玩呢！"维奇说，
　　凯莉听着哥哥的责怪，伤心地哭了。

"好了，凯莉，不要哭，我们不是没有错过火车吗，还是来研究一下时间表吧，看看接下来的旅程和梦幻庄园的旅行计划该怎么安排吧。"科尔先生说。

　　"呜呜，好的，爸爸。"凯莉委屈地说，"爸爸，听说梦幻庄园在星期六的晚上会有马戏表演，我想去看这个。"

"是的凯莉，马戏表演是在星期六的15：00准时开始，我们会在明天，也就是星期六一早8：15到站。在梦幻庄园这一站停靠20分钟，8：35的时候，火车将继续开往莫尔郡。"爸爸仔细查看了一下时间表说。

到站：8：15
出发：8：35

"我们今天晚上要在火车上睡一晚，明天早上必须在 8：15 之前收拾好行李物品，然后下车了。维奇，你要是再起晚了的话，就去不成梦幻庄园了。"妈妈说。

"我知道了，妈妈！"维奇总是常常迟到，和朋友打篮球迟到，看电影迟到，就连去学校偶尔也会迟到。

到站：8：15

"好了孩子们，现在已经是11：25了，再过15分钟，就是11：40，就会有服务员推着餐车卖午饭了，我们还是想想要吃点什么吧。"科尔先生说。

"我要鸡肉汉堡，还要一大份彩豆冰淇淋。我还想要一杯南瓜汁。"维奇早就想尝尝彩豆冰淇淋了。

"我想要焦糖布丁，我还要一份香蕉味的爆米花。对了，妈妈，我还想要一杯蓝莓牛奶！"听到有东西吃，凯莉也不哭了。

11：40，服务员推着餐车走
了过来。维奇、凯莉和爸爸妈妈
分别买到了自己喜欢的食物。

11:40

"哎？天怎么忽然黑了？现在才13：20啊。"凯莉好奇地问。

西西利亚

"看来，我们的火车是正经过隧道呢。凯莉还有维奇，来看这里，"科尔先生打开手里的时刻表，指了指上面写的时间说："火车会在 13 : 20 开进隧道，在 14 点整的时候，开出隧道，并且，会在西西利亚小镇，停上半个小时，直到 14 : 30 才会开走。"

"西西利亚小镇吗？我记得，我和奶奶来这里看过电影。"
维奇想起了几年前和奶奶一起出来旅行。

"那个电影院就在火车站的旁边，维奇哥哥，我们再去那
里看一场电影，然后，拍一张照片给奶奶带回家吧。"凯莉也
想起了那次旅行。

"呵呵，好啊，孩子们，不过你们可要看看时间啊。我们在西西利亚小镇，只能停留半个小时。14：30的时候，火车就要离开了。"妈妈提醒大家说。

14：30

"闪烁，闪烁，莱特，我多么想知道你是什么。"火车在隧道里前行，就像在黑夜中一样，凯莉开始唱起了学过的儿歌。

14

而维奇则无聊地把手里的时刻表折来折去。
爸爸妈妈坐在座位上休息。

"呜呜呜……"火车终于到站了。

"刚好14:00整。"科尔先生看了看自己的手表。

"孩子们，我们有半个小时的时间，快去那家电影院吧。"妈妈说。

14 : 00

维奇、凯莉和爸爸妈妈顺着人群走下了火车，和车站的工作人员打好招呼，一家人走出了火车站。没多久，他们就找到了那家电影院。

电影院

"你们看啊，这里正在上映《奇怪博士的月球之旅》，我好想去看啊。"维奇指着电影海报说。

"可是维奇，这上面写着，最近的一场电影是在14∶40上映，你看这张时刻表上写着，我们的火车14∶30就要离开西西利亚了。"凯莉想起了时刻表。

　　"哦，那好吧，等我们回家再看吧。"虽
然很不情愿，可是比起看电影，维奇更希望
能早点到达梦幻庄园。

"来吧，孩子们，我们在这里拍张合影，回家带给奶奶吧。"爸爸说。

"咔嚓"一声，爸爸、妈妈、维奇还有凯莉，和这家电影院拍了一张合影后，便匆匆赶回火车站。

21

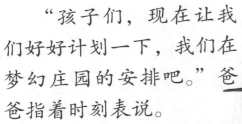

"孩子们，现在让我
们好好计划一下，我们在
梦幻庄园的安排吧。"爸
爸指着时刻表说。

"哦，爸爸，看这里，
我想去看的马戏表演，是
在明天的 15：00 开始。"
凯莉说。

15：00

"不行，4D 电影院 15：00 在放《奇怪博士的月球之旅》，这次我不想再错过了！"维奇强硬地说。

"我看看，热带花卉展会在星期日一早8：30开始。"
妈妈说。

"是啊，亲爱的。我们星期日从梦幻庄园回来的火车
是中午12：10发车的，我们只要在那之前来到火车站就
行。"科尔先生说。

"我不要，我要看电影，不要去看马戏表演！"维奇开始发脾气。

"不行，我要去看马戏表演，才不要去看电影。"凯莉也发起了脾气。

"好了维奇，你好像看错时间了啊。你看，周五的电影是在 15：00 开始，周六的电影是 19：30 开始啊。"爸爸仔细研究了一下时刻表说。

周五：15：00

周六：19：30

“哦，太好了！我终于可以看到电影了！”维奇说。
“我也可以看到马戏了！”凯莉说。

第二天早上 8：15，火车到站了，梦
幻庄园就在眼前。

早上 ：8：15

接下来的时间里，凯莉如愿以偿地看到了盛大的马戏表演，她喜欢会跳火圈的小狮子，也喜欢会滚皮球的大熊。

维奇在梦幻庄园看完了精彩的电影。

星期日早上的8：00整，全家人陪着妈妈去了花卉展览，七彩的玫瑰散发着清香，绿色的蝴蝶兰也很少见到。妈妈很开心地买下了几份种子。

"爸爸，现在已经是11：40了，我们该去火车站了吧？时刻表上写着，从梦幻城堡开往我们家的车，在12：10出发。"凯莉说。

"是啊，走吧，凯莉，我们回家了。"爸爸说。

# 测试题

09:21——十分开心

10:47——漫话天下

12:12——开心猫

13:37——小熊出没

14:02——奇幻小魔仙

15:27——动画歌曲

16:53——森林奇遇记

17:19——开心猫

18:45——奇幻小魔仙

19:11——十分开心

看过这张时刻表，

你知道

《奇幻小魔仙》分别在什么时间播出吗？ _____ _____

请说出《开心猫》的播出时间 _____ _____

在 _____ 和 _____ 时间，能看到《十分开心》

_____ 可以听到歌曲？

《森林奇遇记》会在几点钟开始？ _____

《漫画天下》可以在什么时间看到？ _____

# 时刻表

以下是关于时刻表的小常识